Les Pompiers

La grande échelle

La grande échelle des pompiers mesure 33 m de long lorsqu'elle est déployée à son maximum.

Cette mesure est équivalente à 17 joueurs de basket grimpés sur les épaules des uns et des autres

OU à 82 chats mis les uns en arrière des autres.

Camion-citerne

Un camion-citerne peut contenir jusqu'à 12 000 L d'eau.
C'est équivalent au contenu de 6 000 grosses bouteilles de Coca-Cola

OU à environ 7 000 cartons de jus d'orange Tropicana.

C'est assez pour prendre une douche pendant 11 heures!

Les dévidoirs

Les dévidoirs:

Chaque camion est doté de deux dévidoirs de 200 m de tuyau chacun.

La longueur de ces tuyaux est équivalente à 20 pythons mis bout à bout.

Le camion

Le camion peut contenir cinq pompiers plus le chauffeur.

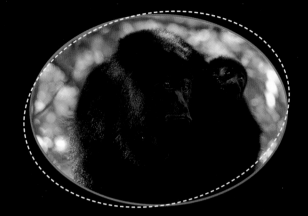

Chez le singe hurleur, le plus grand singe d'Amérique, c'est le nombre de membres qui composent une même famille.

C'est aussi le nombre de mouffettes qu'il y avait sur le plateau de tournage du film Le tour du monde en 80 jours, réalisé en 1956.

Le tuyau

Le diamètre du tuyau varie de 2 à 15 cm, selon le débit d'eau dans le tuyau.

Si on formait un anneau avec des fourmis jaunes, il en faudrait 20 à 40 pour atteindre ce diamètre.

Les clés

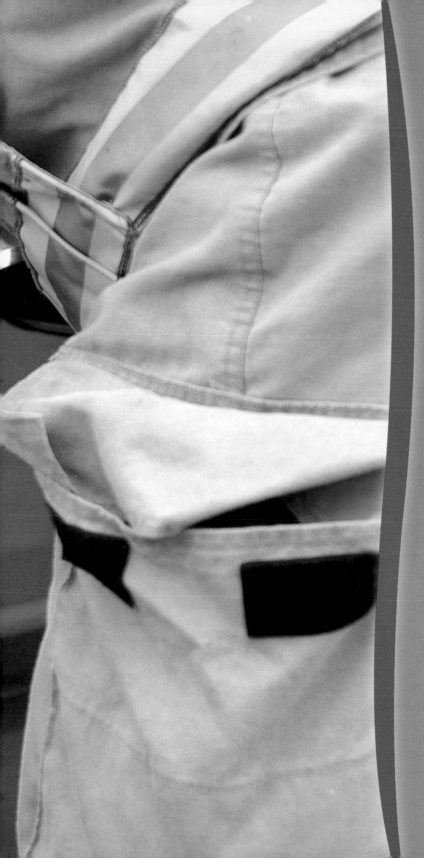

Les pompiers se servent aussi de différentes sortes de clés :

• une clé de borne-fontaine pour dévisser et ouvrir les bouches de la borne-fontaine afin de permettre à l'eau de sortir en tournant la partie carrée sur le dessus;

• une clé halligan pour ouvrir toutes les portes, de celle de bois à la lourde porte en acier, sans aucune difficulté. Chaque pompier en a une sur lui en tout temps. Elle peut aussi servir de petit bras de levier ou au dévissage des tuyaux.

C'est comme le trousseau de clés du concierge d'un immeuble. Chaque clé sert à barrer et à débarrer une porte différente.

Les bottes

Les bottes sont un élément essentiel de l'uniforme d'un pompier. Elles doivent protéger le pompier contre le feu, l'eau et les objets tranchants tels que les clous et le verre brisé. Les bottes doivent être solides, résistantes au feu et imperméables, mais elles doivent également être confortables et relativement légères. Les bottes de pompiers sont composées de plusieurs couches de matériaux. La couche extérieure est faite de caoutchouc ou de cuir résistant au feu. La couche intérieure est habituellement fabriquée à partir d'un mélange de fibres synthétiques spécialisées appartenant à la famille aramide et conçu pour résister à la chaleur ; on obtient ainsi des bottes solides, légères et confortables.

Si les pompiers ne portaient pas de bottes, il faudrait qu'ils aient les talents d'un fakir, capable de marcher nu-pieds sur des morceaux de verres, sur de la cendre encore chaude et sur du feu.

Le manteau

Le manteau du pompier protège son corps des températures élevées et des objets tranchants. Le pompier a à se déplacer rapidement dans des situations dangereuses. Son manteau doit donc être résistant aux déchirures et aux perforations. La couche extérieure le protège des flammes et des coupures alors que celle de l'intérieur le préserve des températures élevées. Entre les deux, il y a une couche imperméable. Le manteau est également doté d'un large col qui assure le visage et le cou.

C'est comme la cape de Dracula qui l'immunise contre le soleil et qui a aussi un large col pour protéger le visage et le cou du vampire.

Les gants

Les pompiers portent également des gants parce qu'ils utilisent beaucoup leurs mains. Ils soulèvent des objets, transportent des gens, tiennent les gros tuyaux, etc. L'extérieur des gants est fait en cuir, car celui-ci résiste au feu. L'intérieur est doublé d'un tissu qui protège de la chaleur. Ces deux couches de matériel sont également séparées par une autre couche de tissu imperméable.

C'est le même principe que les mitaines qu'on utilise pour ne pas se brûler lorsqu'on sort un plat chaud du four.

La cagoule

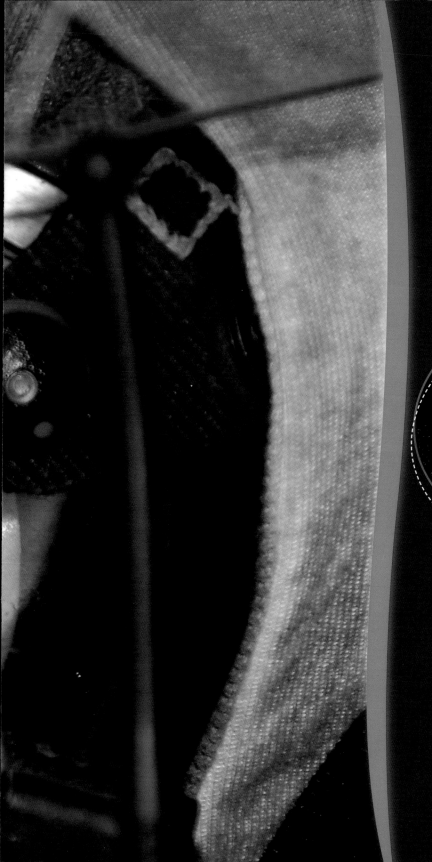

Sous son casque, le pompier porte une cagoule résistante à la chaleur qui est collée sur la peau pour le protéger de la fumée. Au Moyen Âge, les chevaliers portaient une cotte de mailles sous leur armure.

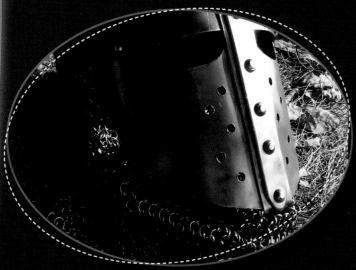

C'était un peu la même chose que pour la cagoule des pompiers, sauf que la cotte de mailles servait à éviter les coups de lance et d'épée durant les combats.

Le casque

Le casque des pompiers résiste à la chaleur et aux objets qui peuvent leur tomber sur la tête. Un rabat à l'arrière protège également leur cou.

C'est un peu comme si tu portais un casque de vélo et qu'on y rajoutait un genre de longue palette de casquette pour te protéger le cou du soleil.

Les flammes

La chaleur des flammes d'un incendie peut rapidement atteindre 1000 °C. C'est 34 fois plus chaud qu'une journée d'été où la température atteint 30 °C.

Dimension

Le camion sur lequel repose la grande échelle mesure 16 m de longueur.

C'est donc dire que ce camion mesure l'équivalent d'un immeuble de 3 étages.

L'eau

Lorsque l'eau est rare, les pompiers utilisent le canon à eau. Un seul jet a la même efficacité que 150 L d'eau projetés par une lance.

Cette quantité est équivalente à une fois et demie la quantité d'eau qu'un éléphant boit dans une journée.

Le canadair

Le Canadair est l'hydravion utilisé par les pompiers pour éteindre un incendie de forêt. Celui-ci approvisionne son réservoir de 6 000 L d'eau en surfant sur l'eau de la mer ou d'un lac. Toute cette quantité d'eau est ensuite déversée en une seconde sur le brasier.

Avec 12 000 bouteilles d'eau de source Naya, tu obtiens la même quantité d'eau que ce qui est déversé sur un incendie de forêt.

Le transport des tuyaux

Dans le cas d'un incendie de forêt, un des pompiers peut avoir à transporter jusqu'à 80 m de tuyaux sur son dos. C'est lui qui alimente la lance à eau à partir du camion.
Cette longueur de tuyau, c'est 16 fois la longueur du crocodile du Nil.

© Les éditions Lesmalins inc.

info@lesmalins.ca

Éditeur: Marc-André Audet
Textes: Katherine Mossalim
Recherche: Marie-Ève Poirier
Conception graphique et montage: Energik Communications

Dépôt légal – Bibliothèque et Archives nationales du Québec, 2009
Dépôt légal – Bibliothèque et Archives Canada, 2009

ISBN: 978-2-89657-051-5

Imprimé au Canada

Les éditions Les Malins
5372, 3ème Avenue
Montréal, Québec
H1Y 2W5